LE FLEUVE ET LE CHIEN

THE RIVER AND THE DO[G]

DU MÊME AUTEUR

ROMAN

40 ANS , 6 MORTS et
QUELQUES JOURS...
emotion-works - 2010

Prochainement

C'EST VRAIMENT L'HIVER
POUR LES SINGES

En cours d'écriture

LE CRI D'AMOUR
DU NENUPHAR

TIRAGES ALUDIBON

POLARIZMAN
disponibles sur
www.victor-rizman.com

SCENARIOS

KLEMMER ISLAND
MEMOIRE VIRTUELLE
UN CRABE AU BOUT DE LA ROUTE
LE PRIX DU REMORDS
PETITS PAS

plus d'info sur
www.victor-rizman.com

FROM THE SAME AUTEUR

NOVEL

LEAVING AFTER SIX
looking for a publisher
in the US

Forthcoming

WINTERTIME
FOR MONKEYS

In progress

THE LOVE CRY OF
THE WATER LILY

ALUBIDON PRINTS

POLARIZMAN
available on
www.victor-rizman.com

SCENARIOS

KLEMMER ISLAND
VIRTUAL MEMORY
A CRAB AT THE END OF THE ROAD
THE PRICE OF REMORSE
SMALL STEPS

more info on
www.victor-rizman.com

VICTOR RIZMAN - VINCENT ANCEL

nouvelle graphique

THE RIVER AND THE DOG

graphic novelete

«Ce ne sont pas des personnages intéressants, ni des golden boys brassant des millions de Yen à la city, ni des flics explorant les bas-fonds, ni de ces héros penchés à la tribune de l'ONU ou plongeant dans l'Hudson River. Ils font partie de ces anonymes qui peuplent NYC, ceux qui remplissent le métro en silence, qui avancent sur les trottoirs en noir et blanc. Ils ne font pas d'ombre à la vie, ils ne font pas d'ombre à la ville. Ce sont juste des invisibles et pourtant il font respirer New York.»

"These are not compelling characters, neither golden boys handing out millions of yen to the city nor cops exploring the lower depths, nor those heros leaning on the rostrums of the UN or diving into the Hudson River. They're part of the anonymous masses who populate New York City, people who silently fill the subway cars, who press forward on the sidewalks in black and white. They don't make a mark on life, they don't make a mark on the city. They're simply invisible, but still they make New York breathe."

Sam
Greenwich Avenue,
Elle fait la queue sur le tro
Le tout petit café est bondé. Il
gagner sa place dans le froid
ajouter au plaisir d'un thé du Com
Wealth. Résignée, serrée dans
petit manteau, elle att

Saturd
Greenwich Avenue,
She stands in line on the sidewalk. The tiny
café is packed. You have to earn your plac
the cold to add to the pleasure of a cup of
from the Common Wealth. Resigned, wrap
tightly in her little coat, she w

Samedi toujours Whipple Street, Brooklyn
Il se réveille, la chambre est froide, les vitres couvertes de buée. La fenêtre donne dans une toute petite cour ; en se penchant vraiment on voit le ciel, bleu à cette heure, absolument bleu aujourd'hui.

Still Saturday
Whipple Street, Brooklyn
He wakes up, the room is cold, the windowpanes covered with steam. The window looks out over a tiny little courtyard, where if you lean out really far you can see the sky, blue at this hour, incredibly blue today.

Elle fait toujours la queue,
mais c'est bientôt son tour. Elle est seule, ce sera peut-être plus facile
d'avoir une place dans un si petit endroit. Un petit morceau d'Angleterre suranné en plein
cœur de NYC.

*She's still in line, but soon it'll be her turn. She's alone perhaps it'll be easier to get a seat in such a small place.
A little piece of old-fashioned England in the heart of New York City.*

Il ne veut pas se lever, braver encore le froid, remettre ses habits de la veille. Et pourtant il faudra encore attendre le métro, regagner le centre-ville et reprendre sa place en cuisine. Courber l'échine, sourire aux clients plus blancs que lui, obéir au patron bien plus blanc que lui.

He doesn't want to get up, brave the cold again, get back into his clothes from the day before. And still he'll have to wait for the train, go back into the city and take up his position in the kitchen again. To bend his back, to smile at patrons whiter than he, to obey a boss much more white than he.

Elle s'installe enfin à une petite table dans un joli petit soupir. La nappe fleurie fait des clins d'œil respectueux aux portraits de la famille royale. Les habitués se serrent avec ferveur et concentration autour de leur délicate collation, sous l'œil attentif de Sa Gracieuse Majesté. D'autres pâtisseries trônent avec prétention sur le comptoir, la carte des thés glisse dans ses mains. C'est sûr, les Beatles ne sont pas invités.

At last, with a pretty little sigh, she settles into a small table. The flowered tablecloth winks respectfully at the portraits of the royal family. The regulars squeeze tightly about their delicate collations with concentrated enthusiasm, under the attentive gaze of Her Gracious Majesty. The pastries sit pretentiously enthroned on the countertop, the tea menu slips into her hands. One thing is certain: the Beatles weren't invited here.

Il salue le premier cafard de la journée. Il est pourtant des fidélités que l'on préférerait éviter. Le café a un goût amer et il fait bien trop froid pour prendre une douche. L'escalier métallique rigole mécaniquement par la fenêtre, il lui tourne le dos, même si cela ne le réchauffera pas. Il va falloir y aller, passer la serpillière, sortir des poubelles pleines de calories perdues, laver des assiettes dont il ne profitera pas.

He salutes the first cockroach of the day. There are loyalties, however, that one would prefer to avoid. The coffee has a bitter taste and it's much too cold to take a shower. The fire escape cackles mechanically by the window; he turns his back on it, even though that won't warm him up. He's going to have to go to work, mop the floors, take out the garbage cans full of lost calories, wash the dishes he'll never enjoy.

La tasse est ébréchée, mais cela ne fait qu'ajouter au charme désuet de l'instant. Petite théière aux couleurs passées, passoire pour les feuilles de thé, assortiment de gâteaux Old England. Que pourrait-elle offrir à sa sœur pour son anniversaire ? Elle y réfléchit, puis de fil en aiguille pense à son chien qui l'attend chez sa mère. Pas facile d'avoir un si gros chien dans une si grande ville. Le thé est parfumé, et même si elle a oublié d'utiliser la petite passoire, les feuilles de thé ne la dérangent pas.

The cup is chipped, but that only adds to the out-of-date charm of the moment. A little teapot in faded colors, the strainer for the tea-leaves, an assortment of cakes from Old England. What should she get her sister for her birthday? She reflects on it, and one thing leading to another begins to think about her dog, waiting for her at her mother's. It's not easy to keep such a big dog in such a large city. The tea is scented; she forgets to use the little strainer but the tea leaves don't bother her.

C E
23

Fermer les yeux, traverser la ville sans regarder. Il y a si longtemps déjà. Plonger avec son frère dans les eaux du fleuve, traverser d'une rive à l'autre sans respirer.
Son frère est loin, alors le métro remplace le fleuve et son frère se rapproche.
Un chinois se cure les dents, un enfant récite à son grand-père le nom des stations à venir, un rocker contemporain du King change les piles de son sonotone.

To close one's eyes, crossing the city without looking. Already it's been such a long time. To dive into the river waters, crossing from one bank to the other without breathing.
His brother is far away... the subway replaces the river and his brother draws near.
A Chinese man picks at his teeth; a child recites the names of the approaching stations to his grandfather; a rocker, a contemporary of the King, changes the batteries in his hearing aid.

L'addition tombe s
petite table, la théièr
porcelaine est déjà repa
La queue dehor
pression dedans. Il va fa
partir, la parenth
douillette se referme
si petit endroit ne peu
posséder trop longtemp
faut partager. Elle remet
manteau en laine cl
visse son chapeau, s'es
dans une ultime précau
les coins de la bouch
repart dans le froid
frontière anglaise s'éloi
l'écharpe blan
s'échappe de sa bou
les boutiques défilent d

The check falls onto
little table; the porcel
teapot has already be
taken away. The l
outside, the press
inside. Soon she'll have
leave, the sn
parentheses will clo
again. One can't hold o
such a little place for v
long, you have to share
She puts her light wool c
back on, screws down
hat, gives one fi
precautionary wipe of t
corners of her mouth, a
goes out into the c
again. The English front
slips into the distance,
white scarf escapes fr
her mouth, the shops a
stores parade

42nd Street. Il est temps d'ouvrir les yeux, de sortir de la rame. Arraché à son fleuve, il referme le col de sa veste, reste un instant sur le quai. Son frère n'est pas sur la berge. Depuis longtemps déjà, il n'est plus là. Les mains dans les poches, il remonte à la surface et regagne le jour. Pourtant, le soleil ne le réchauffe pas, pas ce soleil-là. Encore quelques rues et il reprendra son service.

Forty-Second Street. It's time to open your eyes and leave the train. Dragged from his river, he closes the collar of his jacket, stands on the subway platform for a moment. His brother isn't waiting for him on the bank; he hasn't been there for a long time now. Hands in his pockets, he mounts back up to the surface and returns to daylight. The sun doesn't warm him up, though, not this sun. A few more blocks and he'll resume work.

Exit
J

PETS
PUPPIES
Unlimited
KITTEN
BIRDS & CAGES
PETS UNLIM

Elle entre dans une boutique, s'émerveille
devant les colliers, les délicates petites parkas à quatre manches,
rêve un instant devant les jouets. Un petit pincement au cœur pourtant, son chien lui
manque. Mais elle le verra la semaine prochaine pour l'anniversaire de sa sœur.
"Ah oui, le cadeau pour son anniversaire !"
Comme à regret, elle quitte la boutique et reprend sa promenade. Son image floue dans les
vitrines lui confirme qu'elle existe. Est-ce le reflet, ou est-elle vraiment si blanche?

She goes into a shop, marvels at the collars and the delicate little four-legged parkas, and daydreams in front of the toys for a minute. A little heartache though she misses her dog. But she'll see him next week on her sister's birthday. "Oh yes, her birthday present!" Regretfully she leaves the shop and goes on her way. Her blurred image in the store windows confirms that she exists. Is it the reflection, or is she really so white?

Il ouvre la porte de la cuisine, sans surprise l'odeur le prend à la gorge. Toujours les mêmes effluves de friture et de détergent mêlés. Ni sale, ni propre, juste médiocre, horriblement fade et envahissante.
Comme toujours, il est le premier. Il ouvre, il allume, réveille l'endroit sans état d'âme. Il s'abandonne, plonge au sein d'un univers qui ne sera jamais le sien. Une apnée de dix heures dont il sortira hébété, assommé, amnésique, pour replonger dans le fleuve. Toujours sans son frère.

He opens the door of the kitchen; the smell no surprise   grabs him by the throat. Always the same mixed odors of cooking oil and detergent. Neither dirty nor clean, just humdrum, horribly dull and invasive.
As always, he's the first. Listlessly he opens, lights up, wakens the place. He lets himself go, plunging inside a universe which will never be his own, a ten-hour apnea from which he will emerge dazed, stunned and oblivious before diving into the river again. Always without his brother.

Pour elle c'est un samedi comme un autre, sans son chien, mais à la recherche d'un cadeau pour sa sœur. Elle rentrera ensuite pour télécharger des musiques sur Internet et graver une compilation qu'elle signera DJ KITTY. Elle imprimera une image, une photo de son dernier voyage au Mexique : un coucher de soleil derrière une rangée de palmiers et un restaurant au premier plan, vaguement bleu, un peu flou.

For her it's a Saturday like any other, without her dog, but in search of a gift for her sister. And then she'll return home to download some music from the Internet and burn a compilation that she'll sign "DJ KITTY". She'll print an image, a photo from her last trip to Mexico: a sunset behind a row of palm trees with a restaurant in the foreground, vaguely blue, a little out of focus.

Elle découpera proprement l'image, la glissera entre les picots de cristal et rangera le CD qui restera muet sur l'étagère. Lundi, elle reprendra le train pour la grande banlieue, quarante miles plus loin, pour travailler une semaine à tracer des plans de centres commerciaux.
Mais pour l'instant, il faut trouver un cadeau pour sa sœur.

She'll carefully cut out the image, slip it between the plastic tabs, and put the CD on the bookshelf where it will remain silent. Monday she'll take the train to the suburbs, forty miles outside the city, to work for a week designing the plans for a shopping center. But right now she needs to find a present for her sister.

Il sort la serpillière du placard, la rince, regarde l'eau qui se sauve et la repose dans le seau. Le patron ouvre le restaurant, Manesh allume le grill, les premiers clients ne vont pas tarder. Il entamera son ballet invisible entre les tables.
He takes the mop from the closet, rinses it out, watches the escaping water and mops it back in the bucket. The boss opens the restaurant, Manesh lights the grill the first customers won't be late. He'll begin his invisible ballet between the tables.
Pensera-t-il à sa mère, au visage de sa cousine, si loin, là-bas ?
Peu importe, il ne les regardera pas et ils lui rendront bien. Comme une ombre sans visage, il fera juste ce que l'on attend de lui, mécaniquement, sans y penser. Sans penser.
Will he think about his mother, the face of his cousin, over there, so far away?
It doesn't really matter. He won't see them and they'll be grateful for it. Like a faceless shadow, he'll do just what they expect of him, mechanically, without thinking about it, without thinking.

Elle entre dans une boutique de lingerie, demande s'il est possible d'acheter des chèques cadeaux. Elle sort plusieurs billets verts et rêve un instant pendant que le coupon se remplit. Son regard se promène sur les strings et les guêpières. Elle imagine son corps si délicatement emballé dans ces sous-vêtements choisis avec raffinement, ces dentelles colorées sur sa peau si blanche.
Regrette-t-elle que personne n'en profite ? Pas sûr ! Le chèque cadeau glisse dans l'enveloppe.
"Voilà une bonne chose de faite ! Ma sœur sera contente !"

She goes into a lingerie boutique, asks whether she can buy some gift certificates. She takes out several green bills and daydreams a little while the coupon is filled. Her gaze ranges along the g-strings and bodices. She imagines her body so delicately wrapped in these carefully chosen undergarments, in these colored laces on her skin so white.
Will she be sorry that no one will benefit from it? It's not sure! The gift certificate slips into the envelope. "There's a good deed done! My sister will be happy!"

Bientôt six heures qu'il est debout
et pas un mot, pas un regard pour lui, juste la
succession des carreaux jaunes et noirs, la chorégraphie
de la serpillière, le mouvement de l'éponge et le glissement
des assiettes sales vers la cuisine.

Soon it's going on six hours that he's been on his feet, and not a word, not a look in his direction, just the succession of black and yellow squares, the choreography of the mop, the movement of the sponge and the sliding of the dirty plates into the kitchen.

Surtout ne pas penser, ne pas regarder, ne pas prêter plus d'attention à la réalité qu'elle ne lui en porte. Celui qui regarde a perdu. Alors baisser la tête, laisser les heures glisser, respirer à petites bouffées, toutes petites bouffées, pour ne pas emprunter à la réalité ce que l'on ne pourra lui rendre.

Whatever you do don't think, don't look around, don't give any more attention to reality than it gives to you. He who looks has lost. So lower your head, let the hours slip by, breath in little puffs, tiny little puffs, so as not to take from reality what you won't be able to give back.

Elle est satisfaite.
Finalement, elle n'est pas sortie pour rien. Un peu d'attente
vant le thé, un pincement au cœur pour son gros chien, mais surtout, serré dans son petit
ac, un chèque cadeau pour sa sœur. Un peu de dentelle pour embraser son corps.
lle se regarde dans une vitrine encore une fois. Elle redresse son chapeau, serre son sac contre
lle et disparaît du reflet. Ce soir elle se couchera de bonne heure, mais avant elle téléphonera à sa
nère, prendra des nouvelles de son chien. Peut-être lui parlera-t-elle au téléphone.

he's satisfied. In the end, it hasn't been a wasted day. A short wait before the tea, a little heartache for her big dog, and, specially, the gift certificate for her sister tucked tightly into her little purse. A little lace to set her body alight. Once again he looks at herself in a store window. She straightens her hat, squeezes her bag against her and disappears from the eflection. Tonight she'll go to bed early, but first she'll telephone her mother and get the news about her dog. Maybe she'll peak to him on the phone.

ARKING
8 AM - 6 PM
DRUG

Il se retrouve dehors
sans se souvenir s'il a dit bonsoir
ou si on lui a dit bonne nuit. Peu importe,
cela fait longtemps qu'il n'y prête plus
attention. Encore quelques mètres et
il plongera retrouver son frère. Peut-être
trouvera-t-il de quoi téléphoner.
Mais attend-on encore de ses nouvelles
au-delà du fleuve ? Si loin.

*He finds himself outside without
remembering whether he said goodbye or
whether anyone said good night
to him. It doesn't matter, it's been
a long time since he quit paying attention.
A few more steps and he'll dive in again
to find his brother. Maybe he'll find
some way to telephone. But are they still
waiting to hear his news from beyond
the river? So far away.*

Aujourd'hui c'est son anniversaire.
Photomaton puis découpage d'une photo collée dans un petit carnet à droite, toujours à droite.
Elle jette les autres photos à la poubelle.
Puis elle regarde les images de son album, une par une, puis le referme, le pose sur la table.
Elle le reprend, le feuillette d'un seul coup comme un flip book et voit sa vie défiler en quelques secondes.
Elle repense à son mariage. La photo est toujours là dans son cadre fleuri de tissu. Avoir essayé de transformer son ami en mari n'aura pas été suffisant. Ils ne seront restés que des étrangers l'un pour l'autre, jusqu'à ce qu'il parte sur la côte Ouest et qu'elle quitte aussi sa petite ville pour New York. Ils ont fini par ne plus s'appeler pour éviter ces silences pénibles, suspendus l'un et l'autre par un fil sans vie.
Ils ne se souhaitent même plus un joyeux Thanksgiving... et pourtant, ils sont toujours mariés.

Today it's her birthday.
Photomaton, then cutting out a photo, pasting it into a little notebook on the right, always on the right.
She tosses the other photos into the trash.
Then she looks at the photos in her album, one by one, closes it, places it on the table. She takes it up again, leafing through it in one go like a flip book, and sees her life parade by in a few seconds. She thinks about her marriage again. The photo is still there in its flower-tissued frame. Trying to transform her friend into a husband wasn't enough. They remained friends for each other, only friends, until he left their little town for the West Coast, and she left for New York. They ended up no longer able to call each other, to avoid those long painful silences between them, the two of them suspended by a lifeless thread.
They no longer even wish each other happy Thanksgiving... and yet they're still married.

Elle aime bien son petit portefeuille.
Elle l'avait acheté pour sa sœur et voulait lui offrir
pour son anniversaire. Et puis elle n'a cessé d'y penser.
Une nuit, elle s'est relevée pour ouvrir le paquet et finalement a renoncé à lui offrir.
Depuis, elle le regarde à chaque fois qu'elle le sort de sa poche, pour prendre le métro,
pour payer ses courses ... Chez elle aussi, il faut toujours qu'elle l'ait à portée de vue.
Et puis, elle a acheté autre chose pour sa sœur.

She really likes her little wallet. She bought it for her sister and wanted to give it to her for her birthday. And then she couldn't stop thinking about it. One night she got up from bed to open the package, and it was then she gave up t he idea of giving it to her sister. Since then she looks at it every time she takes it out of her pocket, when she takes the subway or pays for some shopping. At home as well, she always has to have it in view. And then she bought something else for her sister.

Elle sort pour aller boire un verre toute seule, pour se récompenser ou se punir d'être toujours toute seule. Comme dans « Sex and the city », elle se paye un Cosmopolitan, même couleur, mais moins glamour.

She goes out to go have a drink alone, to reward or punish herself for always being alone.
Just like in "Sex and The City", she buys herself a Cosmopolitan, the same color, but without the glam

L'endroit est bruyant, la musique oblige tout le monde à crier. Elle préfère se taire. Jamais elle ne pourrait parler aussi fort à quelqu'un, déjà qu'il lui est difficile de parler…
Alors elle sirote son Cosmo, regarde la salle à travers le verre comme elle le ferait avec des lunettes de soleil. C'est joli ce rosé dans cet endroit en damier et surtout, c'est rassurant.

The place is loud, the music forces everyone to shout. She prefers to keep quiet. She could never speak so loudly to anyone, it's already hard enough for her to talk…
So she sips her Cosmo, looks at the room though her glass as she would through sunglasses. The checker-patterned décor of the place is pretty in pink, and particularly reassuring.

Penn Station. Elle prend le train jusqu'à la grande banlieue où elle passe ses journées à dessiner des plans de centres commerciaux où elle ne mettra jamais les pieds.

Elle hésite à s'inscrire sur un site de rencontres. Elle se connecte régulièrement, regarde les profils des autres filles et n'arrive pas à se trouver aussi intéressante. Alors, une nouvelle fois, elle abandonne sans même avoir consulté les profils masculins, sans même prendre le temps de rêver.

Penn Station. She takes the train out to the suburbs where she spends her days designing plans for shopping malls she'll never set foot in.

She hesitates to sign up on a dating website. She goes online regularly, looks at the profiles of the other women and ends up finding herself not particularly interesting. Then, once again, she signs off without having even glanced at the men's profiles, without even taking the time to fantasize.

Il sort
rarement de sa cuisine
et ne s'éloigne guère de
la plonge. Pour franchir les
portes qui donnent vers la lumière,
vers la ville, il faut un passeport et un visa
qu'il n'a pas. Alors il se contente de regarder les
assiettes qui reviennent et de deviner aux contenus
délaissés qui les a commandées. Une trace de rouge à lèvres
sur un verre, une trace de dentition sur un reste de sandwich,
un ticket de caisse... Aveugle derrière les deux grands battants noirs
qui le séparent de la vie, il lit la ville dans son braille de cuisine.

He rarely leaves the kitchen and barely gets away from the dishwasher. To pass through the doors opening onto the lights of the city he would need a passport and a visa that he doesn't have. So he makes do by watching the plates coming back to the kitchen and guessing from the leftovers who ordered them. A trace of red lipstick on a glass, teethmarks on the remains of a sandwich, a receipt from a cash register... Sightless behind the two big swinging black doors separating him from life, he reads the city in his kitchen braille.

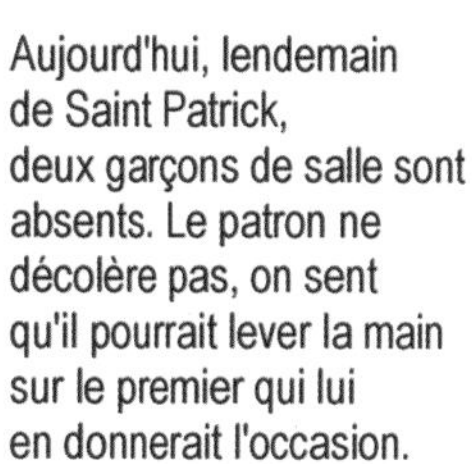

Aujourd'hui, lendemain
de Saint Patrick,
deux garçons de salle sont
absents. Le patron ne
décolère pas, on sent
qu'il pourrait lever la main
sur le premier qui lui
en donnerait l'occasion.

Today, the day after the Saint Patrick's Day, two of the waiters are absent. The boss is absolutely furious. You can feel that he's ready to have it out with the first person who'll give him the chance.

lors, il se retrouve en salle, les portes s'ouvrent, il reste un instant sur le seuil jusqu'au coup de pied dans le dos qui le propulse par
erre. Il se relève et prend un tablier en pleine face, comme si on lui avait retiré la lumière. Peut importe, il est en salle.

Then he finds himself in the dining room, the doors swing open, he pauses a moment in between until he gets a kick in the back that knocks him to the ground. He gets up and catches an apron right in the face, as if someone had just shut out the lights on him. It doesn't really matter, he's in the dining room.

Même s'il sait que ce n'est qu'une parenthèse éphémère due aux conséquences alcoolisées d'une fête nationale, il profite de ce moment qu'il lui est offert. Va-t-il reconnaître les dents ou les lèvres dont il connaît déjà les signatures ??

Even if he knows it's only an ephemeral parentheses due to the drunken consequences of a national holiday, he takes advantage of this unexpected opportunity. Will he recognize the teeth or the lips whose marks he already knows?

En débarrassant une table, il trouve un programme de musée et s'arrête un instant, fasciné par le tableau qui orne sa couverture. Il reste suspendu, une éternité peut-être, si la voix du patron ne venait lui heurter la base de la nuque. Il prend la brochure et la glisse sous l'assiette en prenant soin de ne pas l'abimer. Il sait qu'il va la garder.

While bussing a table he comes across a museum program and stops a moment, fascinated by the painting adorning its cover. He stands suspended for perhaps an eternity, until the boss's voice slams into the base of his neck. He takes the brochure and slips it under a plate, taking care not to damage it. He knows he's going to keep it.

Time square.
Il ne voit pas les lumières qui éblouissent les autres, il ne voit rien de tout cela, il faudrait lever les yeux, regarder vers un quelcon
horizon, regarder le ciel comme pour rêver. Il ne regarde que les jambes qui s'agitent devant lui en essayant de ne pas les percut

s Square. He doesn't see the lights that dazzle the other people, he doesn't see any of it. He would have to raise his eyes to do look toward some other horizon, look at the sky as if to dream. He sees only the legs he tries to avoid running into twisting and ıg before him.

Il marche dans la ville, les beaux quartiers. Mais il réalise qu'à Manhattan, il n'y a plus que des beaux quartiers depuis longtemps. L'île de Manhattan est aussi un ilôt de richesse.
Il regarde par les fenêtres allumées et imagine le confort qui y brille, la sécurité que l'argent procure, le fossé qui le sépare des silhouettes qu'il aperçoit, alors il baisse la tête à nouveau, vers ce qu'on a laissé pour les gens comme lui.

La fausse générosité obscène des montagnes d'ordures le fascine.
Il s'arrête, choisit quelques magazines, hésite à prendre le lampadaire mais dévisse l'ampoule. Il pense à son appartement entièrement meublé ici. Des chemises, un tapis...il trouve tout à «WALK-MART» son supermarché à ciel ouvert, moins cher encore que Wal-Mart, il suffit de marcher pour trouver.

He walks through the city, the good neighborhoods. But he realizes that in Manhattan there haven't been anything but good neighborhoods for a long time. The island of Manhattan is also an islet of wealth.
He looks through the lighted windows and imagines the warm, glowing comfort inside, the security that money buys, the gulf that separates him from the silhouettes he sees within; then he lowers his gaze once again to the things left behind for people like him.

The obscene false generosity of the mountains of trash fascinates him.
He stops to pick out some magazines, hesitates about taking a floor lamp but unscrews the light bulb. He thinks he could furnish his entire apartment here. Shirts, a rug... he can find everything here at "Walk-Mart", his open-air department store, even cheaper than Wal-Mart, where you can find everything just by walking by.

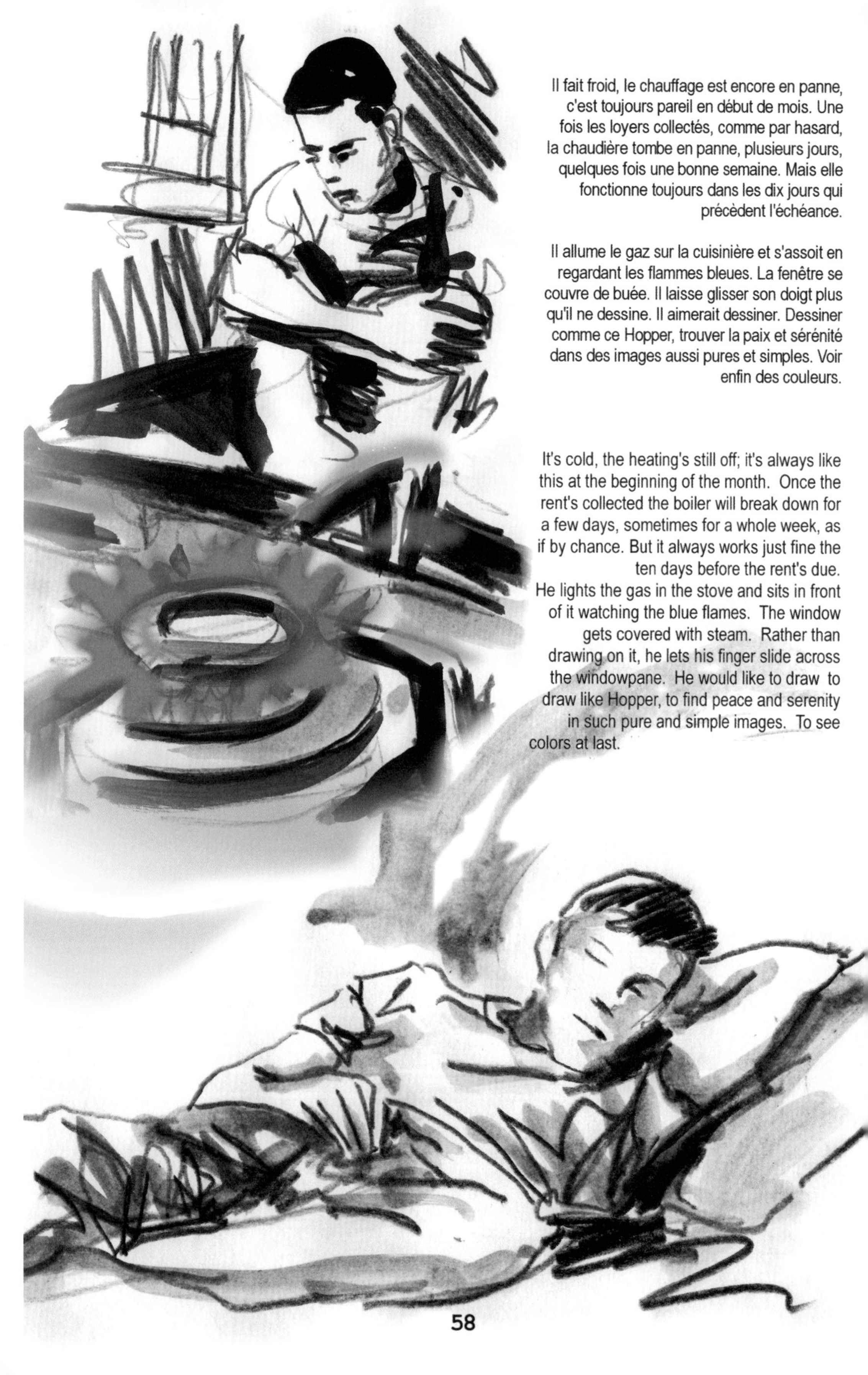

Il fait froid, le chauffage est encore en panne, c'est toujours pareil en début de mois. Une fois les loyers collectés, comme par hasard, la chaudière tombe en panne, plusieurs jours, quelques fois une bonne semaine. Mais elle fonctionne toujours dans les dix jours qui précèdent l'échéance.

Il allume le gaz sur la cuisinière et s'assoit en regardant les flammes bleues. La fenêtre se couvre de buée. Il laisse glisser son doigt plus qu'il ne dessine. Il aimerait dessiner. Dessiner comme ce Hopper, trouver la paix et sérénité dans des images aussi pures et simples. Voir enfin des couleurs.

It's cold, the heating's still off; it's always like this at the beginning of the month. Once the rent's collected the boiler will break down for a few days, sometimes for a whole week, as if by chance. But it always works just fine the ten days before the rent's due.
He lights the gas in the stove and sits in front of it watching the blue flames. The window gets covered with steam. Rather than drawing on it, he lets his finger slide across the windowpane. He would like to draw to draw like Hopper, to find peace and serenity in such pure and simple images. To see colors at last.

Il coupe le gaz
et va s'asseoir sur son lit,
ouvre le tiroir de la table de nuit et
ressort le prospectus qu'il pose et regarde, regarde, regarde.
A présent, il aime rentrer chez lui. Il est presque impatient, comme si quelqu'un l'attendait.
Quelqu'un qu'il aurait envie de retrouver. Il ne saurait pas l'expliquer mais il a rendez-vous
avec le tableau, ce que la peinture lui suggère. Désormais, c'est devenu son horizon…

He cuts off the gas and goes to sit on his bed, opens the drawer of the nightstand, takes out the museum program and sets it down, and he looks and he looks and he looks. These days he likes returning home. He's almost impatient, as if someone was waiting there for him. Someone he'd like to meet. He's not quite able to explain it; it's as if he has an appointment with this painting, or with what the painting brings up in him. Hereafter the painting has become his horizon…

Ici, le métro sort de terre, emmenant les travailleurs vers la lumière pour leur faire oublier leur statut de relégués en seco zone. Quand le métro devient aérien c'est rarement bon signe. On quitte définitivement des quartiers où le bruit dérange ses habitants. Là, les vitres peuvent trembler, les trains peuvent hacher avec régularité le sommeil ; la fatigue d'une journ de travail suffit pour ne pas l'entendre.

Here the subway emerges from the earth, taking the workers into the light to help them forget their status as marginalized second-class people. It's rarely a good sign when the subway becomes airborne. One leaves for good those sections of the city where the noise would disturb the residents. Here the windowpanes can tremble, the trains can routinely chop their way through sleep; the exhaustion of the workday is enough to make you deaf to it.

A l'angle de Manhattan Avenue et Broadway, il va faire ses courses dans ce quartier de Brooklyn coincé entre les juifs orthodoxes et Porto-Rico. Chez FOOD BAZAAR, il découvre souvent des choses étonnantes et prétendument comestibles. Un peu plus loin, chez FAT EDDY, il cherche une bouilloire électrique sans se faire comprendre. Alors qu'il a déjà du mal à parler anglais, ici on ne parle qu'espagnol.

At the corner of Manhattan Avenue and Broadway he goes to do his shopping in this Brooklyn neighborhood stuck between the orthodox Jews and the Puerto Ricans. Often at Food Bazaar he discovers amazing things, supposedly good to eat. A little farther on, at Fat Eddy's, he looks for an electric kettle without being able to make himself understood. He already has trouble enough speaking English; here, though, they only speak Spanish.

FOOD BAZAAR
SUPERMARKET
NOW OPEN UNTIL MIDNIGHT
YAUTIA LILA
$1.79
LB

Un dimanche, elle veut en voir plus.
Ce même dimanche il décide de voir plus loin.
One Sunday, she wants to see more.
That same Sunday, he decides to see farther.

Madison Avenue & 75th Street. Elle prend l'ascenseur, il prend l'escalier. Ils vont de salle en salle à la recherche de leur toile. Ils se sentent aspirés par la peinture, comme s'ils retrouvaient un endroit connu, une ambiance familière.

Madison Avenue & 75th Street. She takes the elevator, he takes the stairs. They go from room to room in search of their painting. They feel drawn in by the artwork, as if they were rediscovering a well-known place, a familiar ambiance.

Il n'ose pas demander, il n'est pas sûr de pouvoir le faire correctement, bien que les gardiens de musée aient l'air aussi perdu que lui dans cette boîte de couleurs.

He doesn't dare ask, he isn't sure he can do it correctly, even though the guards seem as lost in this box of colors as he is.

Elle se promène,
prend le temps de
reconnaître les peintres
et de les nommer
intérieurement avant
de vérifier sur le petit carton
blanc. Elle est satisfaite d'elle,
son score avoisine les 75%.
She strolls along, taking the time to identify the
painters and mentally name them before checking her
answers on a little white card. She's pleased with
herself; her score is almost 75 percent.

Le voilà, c'est celui-là !
Son cœur bat plus fort, les larmes lui montent aux yeux. La surprise est plus forte que prévu. Il se sent à l'aise comme chez lui, comme avant. Elle pleure doucement, elle se sent bien, comme une petite fille innocente qui court dans une prairie d'été. Il sent l'odeur du foin et le vent sur son visage.

There it is, that one there!
His heart beats more strongly, the tears come to his eyes. The surprise is stronger than he'd imagined it would be.
He feels at ease, at home, like before.
She cries quietly. She feels good, like an innocent little girl running across a summer prairie. He smells the scent of hay and feels the wind on his face.

Ils s'assoient face à leur tableau.
Ils sont côte à côte, presque dos à dos, chacun regardant
un tableau différent dans une direction opposée. Une main frôle la sienne,
il la prend
et décide d'avancer…
Ils se penchent, entrent dans leur tableau et se promènent dans leur toile, repoussant
le cadre, dans un monde qu'ils partagent désormais avec le peintre.

*They sit facing their painting. They're side by side,
almost back to back, each looking in opposite
directions at a different painting. A hand
brushes his, he takes it and decides
to go further…
They lean forward, entering their painting,
absorbed in their canvas, pushing back
the frame, in a world they now share
with the painter.*

Ils se penchent encore pour aller plus loin mais leurs têtes se cognent brusquement. Leurs mains se séparent, instinctivement, sans s'apercevoir qu'elles se tenaient.
Ils sont déjà debout, bafouillent une excuse sans vraiment se regarder et abandonnent leur tableau comme on tombe du lit.

They lean forward, going further, but then abruptly they bump their heads together. Their hands separate, instinctively, unaware that they had been holding each other.
They're already on their feet, mumbling excuses without looking at each other, abandoning their painting like people falling out of bed.

EXIT

Ils sont déjà dehors et s'éloignent comme des voleurs
surpris dans le clair-obscur qui envahit la rue.
Aujourd'hui, Ils ont vu plus loin que le cadre, repoussé
la limite des images.
*They're already outside, parting like startled
thieves in the dark light filling the street. Today
they saw beyond the frame, pushed back the
limits of the images.*

Chacun repart vers son quotidien, le regard plongé dans l'asphalte qui ne sera plus jamais aussi noir.
Each sets off again, returning to their routine, plunging their gazes into an asphalt that will never be so black again.

Vincent

www.victor-rizman.com

ISBN 978-2-9533461-1-4
1ère édition Juillet 2014
dépot légal en cours

Imprimé en France
par Groupe Lussaud BP 199 85204 FONTENAY LE COMTE Cedex